# Yoga para Perder Peso

# Yoga para Perder Peso

Bharat Thakur

*Tradução*
SÍLVIO NEVES FERREIRA

Editora Pensamento
SÃO PAULO

Título original: *Yoga for Weight Loss*.



Originalmente publicado por Wisdom Tree, Nova Delhi, Índia.



1ª edição 2004.

4ª reimpressão 2013.



---

Direitos de tradução para a língua portuguesa
adquiridos com exclusividade pela
EDITORA PENSAMENTO-CULTRIX LTDA.
Rua Dr. Mário Vicente, 368 – 04270-000 – São Paulo, SP
Fone: (11) 2066-9000 – Fax: (11) 2066-9008
E-mail: atendimento@editorapensamento.com.br
http://www.editorapensamento.com.br
que se reserva a propriedade literária desta tradução.
Foi feito o depósito legal.

---

— Aos meus pais

# Prefácio

Eu estava caminhando pela praça do mercado quando me veio à mente a idéia de escrever um livro a respeito da "Yoga para perder peso". Oitenta por cento das pessoas que vi naquele lugar eram obesas ou tinham excesso de peso. Embora eu esteja aqui para difundir os ensinamentos do meu guru e tornar a vida dos seres humanos melhor e iluminada, pergunto a mim mesmo por que estou pregando a iluminação espiritual quando os homens não podem sequer olhar para um espelho e perguntar: "O que eu fiz a mim mesmo?" Sim, o que você fez a si mesmo? Você irá morrer sem saber que pode parecer maravilhoso! No interior oculto de seu corpo enfermo, gordo e obeso existe alguém que é saudável e em boas condições físicas e que ama a si mesmo.

Desperte! Pare de sentir inveja das pessoas que têm um físico perfeito e uma estrutura corporal maravilhosa! Em vez disso, tome uma decisão e assuma esse papel! Você se queixa de que a sua namorada sentada ao seu lado está olhando para outro homem com admiração ou que o olhar de seu esposo se mantém fixo numa linda mulher, quando tudo o que você necessita é cuidar do seu corpo e ser essa pessoa.

Simplesmente olhe para si mesmo — olhe firmemente durante algum tempo. O que você vê? Seu abdome — enorme! Seus quadris — imensos! Porém, a maioria dos homens e das mulheres na Índia (ou em qualquer outro lugar) são parecidos com essa imagem, você dirá. Isso serve apenas como um consolo e você sabe muito bem que não está encarando o verdadeiro problema. Faça amizade com pessoas que são adeptas da boa forma física e que farão com que você se sinta insignificante por causa da segurança e da beleza delas. Saiba que você também pode ser belo se parar de se esquivar da realidade. Tenha a coragem de desafiar a si mesmo com a convicção de que você é o ser humano mais inteligente e consciente de todos os que vivem neste planeta! E, então, viva de acordo com essa convicção! Use o seu intelecto, que está livre de qualquer preconceito, para questionar sua atual situação. E tudo o que necessitará fazer é simplesmente chegar a uma decisão de que sim, eu conseguirei!

www.bharatthakur.com

# Sumário

# 1

# Entenda o que é a obesidade

A obesidade é essencialmente um estado de desorganização metabólica. Ela ocorre quando há um desequilíbrio entre a absorção e o dispêndio de energia no corpo. A despeito de uma crescente conscientização dos perigos da obesidade, ela está aumentando em proporção alarmante. As principais causas disso são as marcantes transformações na cultura e no estilo de vida.

No atual cenário, há uma perceptível mudança no foco da vida. As crescentes necessidades materiais assumem agora maior prioridade em nossa busca da felicidade. As coisas realmente mudaram durante a revolução industrial. As máquinas tomaram o lugar dos homens e, embora elas tenham acelerado o grau de velocidade do trabalho, o homem tornou-se fisicamente ocioso. Essa é a causa predominante do desolador estado do nosso corpo. Indubitavelmente, a obesidade é uma calamidade.

Há dois tipos de obesidade — crônica ou variável. A maioria das pessoas com excesso de peso geralmente se enquadra na categoria de obesidade variável, uma vez que elas tendem a ganhar e a perder peso em diferentes ocasiões. No estado crônico, a pessoa está seriamente obesa e tende a ganhar cada vez mais peso com o passar do tempo. Ajudar uma pessoa com o peso além do normal a perder peso é fácil. Mas uma pessoa obesa tem de se esforçar muito mais, uma vez que seu organismo está acostumado ao peso excessivo.

Tudo o que eu peço a uma pessoa obesa, ou com excesso de peso, é apenas uma coisa: uma firme determinação para dizer “Não” a uma vida de peso excessivo. Apenas a promessa de que: “A partir de hoje, decido mudar a minha vida de todas as maneiras possíveis para ter o meu corpo em forma e levar uma vida saudável e feliz.”

## Definição de obesidade

A obesidade, segundo me parece, é um estado mental de letargia e depressão que leva a um desequilíbrio entre a entrada e a saída de energia, o que provoca um peso excessivo em todo o corpo ou numa região localizada.

A obesidade assume diversas formas, dependendo da localização do depósito de gordura no corpo:

- *Obesidade harmoniosa*: neste caso a gordura está distribuída por todo o corpo.
- *Obesidade ginóide*: nestes casos os depósitos de gordura localizam-se mais na parte inferior do corpo — os quadris e a região pélvica. Ela se manifesta mais nas mulheres e acarreta o mais baixo risco médico.
- *Obesidade visceral*: neste caso, a gordura está depositada perto dos órgãos internos, como as vísceras abdominais. Essa gordura não é perceptível do exterior e é a causa dos mais elevados riscos médicos a longo prazo.
- *Obesidade andróide*: neste caso, o depósito de gordura ocorre mais na região externa do estômago. Ela se manifesta mais nos homens e geralmente é perigosa.

## Mensuração da obesidade

Cada cultura possui os próprios padrões de beleza. O que é considerado obeso numa cultura pode ser normal em outra. Portanto, não existe nenhum indicador fixo e absoluto de obesidade. No entanto, uma comparação do peso em relação à altura nos dá uma boa idéia de como a pessoa é obesa. O IMC (Índice de Massa Corporal) é utilizado largamente para mensurar a obesidade. Ele é calculado dividindo-se o peso (em quilogramas) pelo quadrado da altura (em metros). A norma aplica-se tanto aos homens quanto às mulheres.

A fórmula para calcular o IMC é dada abaixo:

$$\text{IMC} = \frac{\text{peso (em kg)}}{\text{altura x altura (em metros)}}$$

Para se converter a altura, de acordo com o sistema de unidades de medidas usado nos Estados Unidos e na Inglaterra, para o sistema de unidades de medidas internacional, as equações de conversão são as seguintes:

1 pé = 12 polegadas
1 polegada = 2,54 cm
1 m = 100 cm

Por exemplo: um homem com 5' 7" (67 polegadas ou 1,70 metro), pesando 87 kg, tem o IMC de

$$\frac{82}{1{,}7 \times 1{,}7} = 28 \text{ kg/m}^2$$

Para se obter o nível de obesidade, usamos a seguinte escala:

- Um IMC entre 19 e 25 kg/m$^2$ indica um peso normal ou ideal.
- Um IMC entre 25 e 30 kg/m$^2$ indica excesso de peso.
- Um IMC entre 30 e 35 kg/m$^2$ indica obesidade.
- Um IMC acima de 35 kg/m$^2$ indica obesidade mórbida.

De acordo com a escala acima, esse homem está com excesso de peso.

É interessante notar que, nas culturas que se alimentam de caça e de colheitas (como os bosquímanos do deserto Kalahari e os aborígines australianos), o IMC está muito abaixo de 18kg/m². Essas pessoas não têm problemas como doenças cardíacas, hipertensão ou diabetes. Esse nível do IMC é impossível de ser atingido e desnecessário para a maioria das pessoas. O IMC ideal aceito pela medicina (19 a 25 kg/m²) deve ser o objetivo para todas as pessoas com excesso de peso ou obesas.

## Quando aparece a obesidade

O peso de uma pessoa é o resultado de muitos fatores. Ele é a conseqüência de uma complexa relação entre a constituição fisiológica, genética e psicológica, fatores ambientais e culturais, modo de vida e hábitos alimentares. Além disso, o corpo de uma pessoa reage de maneira diferente a diferentes situações. Algumas pessoas podem comer excessivamente, não se exercitar, e mesmo assim não ganhar peso.

Outras podem comer pouco, e mesmo assim ter a tendência de engordar facilmente. Problemas emocionais, solidão e trauma podem levar a um súbito ganho de peso porque as pessoas têm a tendência de comer demais nessas situações. Fazer regime também pode levar à obesidade, por mais que as pessoas que estão de dieta tentem ficar mais magras, reduzindo drasticamente a ingestão de alimentos. Conseqüentemente, isso leva a "comer sem controle" e a um posterior aumento de peso. O mau funcionamento das glândulas tireóide ou pituitária também podem causar obesidade. Uma pessoa com pais obesos tem um risco mais alto de se tornar obesa. Vemos assim que todos esses fatores, agindo por si mesmos ou em conjunto, podem levar à obesidade.

O corpo humano possui um surpreendente mecanismo na forma do hipotálamo, situado no centro do cérebro. Essa glândula regula as sensações de fome e saciedade. Ela informa quando você está faminto, para que possa comer e, depois, quando você está saciado e está em condições de parar de comer. Ela envia mensagens para determinados hormônios chamados de neurotransmissores que estimulam ou inibem a fome. Esses neurotransmissores são: adrenalina, noradrenalina, dopamina e serotonina. Há também outras drogas como anorexígenos e flenfluramíneos que atuam sobre esses neurotransmissores e controlam sua liberação para que exista um perfeito controle do apetite da pessoa, de acordo com a energia despendida e absorvida.

O corpo humano também possui outro maravilhoso e complexo mecanismo regulador de peso, por meio do qual pode ser usada a gordura armazenada quando há pouca ou nenhuma absorção de energia na forma de alimento. Dietas para perda de peso são baseadas nesse princípio, mas ele sozinho nunca funciona por muito tempo. O corpo jamais deve ser privado dos nutrientes e da energia dos quais geralmente necessita.

Vamos ver agora como o corpo consome a energia. Basicamente, o corpo gasta a sua energia de três maneiras:

- *Metabolismo*: requer o mínimo de energia para que o corpo permaneça ativo. Ele é responsável por 70 por cento do total da energia consumida. Ele também depende dos músculos (massa sem gordura) da pessoa. As pessoas com altos IMB (Índices Metabólicos Básicos) irão consumir mais calorias e também esgotá-las mais facilmente.
- *A atividade física*: é responsável por 20 por cento do total da energia consumida, mas varia de pessoa para pessoa, dependendo do nível de atividade. As pessoas obesas necessitam de mais calorias para desempenhar a mesma atividade porque têm excesso de peso. Assim, elas tendem a comer mais para compensar essa necessidade, levando a um círculo vicioso.
- *Termogênese*: é responsável por cerca de 10 por cento do consumo total e é a energia utilizada durante o próprio processo. Por causa disso, algumas calorias absorvidas durante uma refeição são gastas imediatamente. Portanto, não é recomendável deixar de fazer uma refeição.

A energia absorvida reporta-se à quantidade e à qualidade de alimentos e aos hábitos alimentares de uma pessoa. Um trabalhador braçal gasta mais energia em comparação com um engenheiro programador de *software* e, portanto, tem a tendência de comer mais. A qualidade da comida refere-se à proporção de nutrientes na comida ingerida. Demasiada gordura, açúcar e comida refinada na dieta levam à obesidade. Outros bons hábitos alimentares incluem horário regular para comer e não deixar de fazer uma refeição.

Portanto, no nível psicológico, o corpo tende a ganhar peso quando há um desequilíbrio entre a energia absorvida e a energia liberada por causa dos fatores acima mencionados. Para perder peso e não readquiri-lo, o corpo tem de ser treinado para recuperar esse equilíbrio mais uma vez. Este é o desafio enfrentado por todos os obesos ou pessoas com peso excessivo.

## Riscos da obesidade para a saúde

A obesidade está associada a muitos riscos à saúde. E, da mesma forma que as causas da obesidade, esses riscos estão em geral mutuamente associados. Os riscos comuns são:

- *Hipertensão*: as pessoas obesas têm aproximadamente duas vezes a probabilidade de serem hipertensas do que uma pessoa com um IMC normal, que varia entre 19 e 25. A pressão sangüínea elevada pode levar a um ataque cardíaco e a doenças do coração.
- *Diabetes*: a obesidade aumenta significativamente o risco do diabetes tipo 2, quando o corpo é incapaz de produzir insulina suficiente ou de utilizá-la adequadamente. Os homens com acúmulo de gordura na região do abdome estão especificamente sob esse risco.
- *Doenças das coronárias*: a obesidade provoca níveis mais altos de colesterol e de hipertensão, que estão diretamente relacionados com os riscos cardiovasculares.
- *Doença da vesícula biliar*: a obesidade tem uma correlação direta com essa doença, tanto em homens quanto em mulheres. No entanto, as mulheres têm

um risco maior para desenvolver problemas da vesícula biliar, quando comparadas aos homens.

- *Artrite*: as mulheres obesas têm um risco maior de apresentar artrite e dores nas articulações quando comparadas aos homens.
- *Câncer*: os homens obesos têm um risco maior de desenvolver câncer no cólon, enquanto as mulheres obesas têm risco de desenvolver câncer de mama e câncer no útero.
- *Problemas respiratórios*: as pessoas obesas têm dificuldade para respirar ar suficiente; por isso, sua absorção de oxigênio é baixa.
- *Morte prematura*: as pessoas obesas tendem a morrer mais cedo do que aquelas com peso normal.

Há razões suficientes para que a pessoa obesa deva enfrentar essas doenças e se livrar do círculo vicioso no qual seu estado mental leva inicialmente a um ganho de peso, e isso, por sua vez, leva a um ganho de peso adicional. A pessoa precisa trabalhar muito no nível fisiológico, bem como no nível psicológico, para se livrar permanentemente dessas enfermidades. E se você tomar uma firme decisão por si mesmo, nada pode fazê-lo desistir.

# 2

# Yoga e perda de peso

A palavra Yoga origina-se da palavra do sânscrito *Yuj*, que significa união — união do Eu com a consciência universal. Este livro irá tratar da obesidade como uma enfermidade e ajudará o leigo a compreender toda a psicologia, fisiologia e outros detalhes relacionados com esse tema. A Yoga não é apenas a prática física de *asanas*, nem é uma filosofia espiritual ou religião. Ela é um meio para se tornar um ser humano ideal. Ela age do corpo para a respiração e da respiração para a mente e, posteriormente, para o superconsciente. A Yoga é a verdade definitiva. Ela leva o homem de um estado bruto da consciência para um estado iluminado.

Vamos observar a conexão entre Yoga e obesidade — uma enfermidade/estado mental. No passado, a Yoga tinha uma abordagem diferente — era uma séria jornada espiritual. Isso está evidente nos antigos textos, como *Ghirand Samhita*, *Hatha Pradeepika* e *Vashishta Yoga*. Com o passar do tempo, as pesquisas revelaram os benefícios médicos da Yoga. Gradualmente, ela assumiu o status de medicina alternativa, uma vez que podia curar muitas doenças que a ciência moderna não era capaz de entender. A Yoga tem uma imensa compreensão da mente, do corpo e, até certo ponto, do que está além. A isso, a Yoga chama de *chitta* ou consciência.

A Yoga se desenvolveu a partir das preocupações e sofrimentos dos *yogis* em diferentes estados de saúde, estados de espírito e incômodos físicos e morais em seu empenho para atingir o que está além de sua estrutura física. Cada *asana* era cópia da postura de um animal. Os *yogis* olhavam, observavam, analisavam e começavam a representá-la como um meio de tentar curar a si mesmos. Com o tempo, eles foram além do tratamento e curaram as próprias causas da doença. Portanto, a Yoga não trata apenas da obesidade por considerá-la uma doença ou um estado de perturbação mental. Ela se dedica às causas e às contingências através das quais o corpo pode ser levado a um estado de funcionamento ideal.

A Yoga funciona de uma única maneira. Não tem como objetivo queimar calorias e consumir energia do corpo, mas tenta agir sobre o sistema endócrino e modificar o equilíbrio hormonal no corpo. Este, por sua vez, modifica o *pH* do sangue e revigora os músculos. Fisiologicamente, a Yoga age com o objetivo de desenvolver e estimular as glândulas endócrinas. A gordura supérflua do corpo é removida por meio da queima de calorias, bem como pela alteração do equilíbrio hormonal de todo o corpo. Assim, a homeostase (do meio interno) do corpo também se altera. As *asanas* da Yoga revigoram o corpo, penetrando profundamente em cada tecido e músculo que os exercícios usuais não podem atingir. *Asanas* são posturas que dilatam todos os *nadis* do corpo. De acordo com o *Gherand Samhita*, há 72.000 *nadis* no corpo.

A Yoga tenta reconhecer a causa original de qualquer desordem funcional. Ela afirma que 90 por cento das desordens funcionais ocorrem por causa de uma falta de conhecimento do corpo humano, da pureza e da finalidade da vida, e da falta de conscientização. Isso leva o corpo a um estado de *vikshipta chitta* (estado mental doentio). Acredito firmemente que para curar um problema como a obesidade, a pessoa tem de examinar cuidadosamente sua própria vida, seus hábitos pessoais e a razão de sua existência. Todos nós estamos aqui para nos tornarmos um Buda; mas, em vez disso, acabamos vivendo deprimidos e desenvolvemos hábitos nocivos. Naturalmente, há causas médicas responsáveis pela obesidade, como no caso de problemas relacionados com a tireóide, quando a pessoa é obrigada a tomar drogas nocivas, como os esteróides, que aumentam diretamente o apetite e a ingestão de alimentos, alterando assim, indiretamente, a homeostase do corpo.

Trataremos primeiro da perda de peso, tentando compreender as causas da obesidade. E, depois, passaremos a desenvolver força mental, mudando os hábitos de alimentação, com a prática da Yoga como ponto de partida. Isso irá acelerar o processo de cura da obesidade. A Yoga não se opõe a atividades como corrida, caminhada, natação ou a prática de exercícios em academias. Eu aconselho todas essas atividades. Se você correr ou nadar durante meia hora todos os dias, além de praticar Yoga, irá perder peso muito mais rapidamente. A prática da Yoga irá ajudar os seus músculos a permanecerem flexíveis, elásticos e firmes, e a prática de *kapalbhati kriya* irá ajudá-lo a correr por períodos de tempo mais prolongados, uma vez que ela aumenta a resistência muscular. A Yoga afeta todos os aspectos do corpo — cardiovascular, hormonal e muscular. Você vai descobrir que seu desempenho em qualquer atividade individual irá melhorar significativamente com a prática da Yoga. Exercícios respiratórios (*pranayama*), que constituem uma forma de meditação, irão ajudá-lo a compreender a vida sob um ponto de vista mais amplo, a mudar o foco da sua vida, a corrigir hábitos incorretos, e mostrará como ir além da sua resistência. A Yoga é essencial se você quiser modificar o funcionamento de todo o seu organismo, perder peso, desenvolver resistência muscular e viver um estilo de vida saudável, no qual ganhar peso torna-se praticamente impossível.

# 3

# Princípios básicos das práticas da Yoga

## O que é uma asana?

Os *Yoga Sutras* de Patanjali definem as *asanas* como "*sthiraha sukham asanam*". Traduzido, isso significa estabilidade, sensação de bem-estar e uma postura. Portanto, *asanas* são as posições que proporcionam uma sensação de bem-estar e estabilidade. Há 84 mil posições na Yoga e todas elas objetivam praticamente preparar a pessoa para apenas quatro posturas — *siddhasana, padmasana, vajrasana* e *sukhsasana*. Todas elas são posições para meditar. Assim, uma pessoa pode assumir essas posturas com o objetivo de poder mantê-las por muito tempo. A Yoga começa com *yama* e a *niyama* e termina no *samadhi*.

## Como realizar as asanas?

Patanjali diz: "*prayatna saithilyam anantha samap prathibyan*". Traduzido, isso significa que uma pessoa deve assumir uma posição sem nenhum esforço, fixando a mente no além. Aqui, "além" significa o plano acima de todas as preocupações mundanas da vida. A pessoa precisa ficar consciente apenas de coisas como a respiração, a música, a mudança de uma posição para outra ou do músculo objetivado que está distendido na posição.

## Benefícios

Patanjali diz: "*twato dwandad nabhi ghatah*". Traduzido, isso significa que através da execução de *asanas*, a pessoa pode se livrar de todas as dualidades na vida. Aqui, "dualidade" simboliza a falta de clareza e de visão na vida.

## Disciplina

Patanjali diz: "*atha yoga nushasanam*". Traduzido, isso significa a disciplina da Yoga. Patanjali quis dizer que, antes que a pessoa entre no domínio da Yoga, deve aprender a ficar consciente do fato de que não poderá realizar as práticas da Yoga sem estar com a atenção totalmente voltada para o momento presente.

## Local

A pessoa deve tentar praticar a Yoga, se possível, num local ao ar livre. Porém, no cenário de hoje em dia, de altos níveis de poluição, não é prudente praticar a respiração da Yoga inalando toxinas, como monóxido de carbono, que prejudicam o organismo. Se você vive numa cidade metropolitana poluída, eu o aconselharia a praticar Yoga num aposento agradável e limpo.

## Duração

Há dois aspectos com referência à duração na Yoga. Um é a duração total da prática da Yoga e o segundo é a duração de cada *asana*. Uma pessoa pode praticar Yoga durante vinte minutos, quarenta minutos ou cinco horas por dia. Isso depende do que ela deseja obter da Yoga. Se o que se necessita é a flexibilidade básica do corpo e o alívio do *stress*, a pessoa pode ser beneficiada em apenas vinte minutos. Se ela deseja iluminação, cinco horas não serão suficientes. Quanto ao que diz respeito à duração na qual se mantém uma posição, a pessoa pode começar com dez segundos e aumentá-la para até trinta segundos ou um minuto.

## Equipamentos

Não há nenhum equipamento específico como tal para a prática da Yoga. No entanto, a pessoa pode utilizar cordas, tijolos, almofadas redondas, cintos elásticos e, é claro, tapetes para Yoga.

## Ambiente

Um ambiente limpo e tranqüilo é muito importante para a prática da Yoga. Pode ser ao ar livre num lugar bonito ou num aposento limpo e apropriado com iluminação suave.

## Fragrância

Você deve tentar praticar Yoga onde exista uma fragrância natural à sua volta. Flores, plantas, árvores, solo etc., todos devem ter um aroma próprio. Quando praticar Yoga num aposento, você sempre deve acender uma vareta de incenso ou uma vela aromatizada. Isso fará com que você se sinta mais relaxado e concentrado.

## Música

Como foi dito anteriormente, manter uma postura e fixar a mente "além" é uma técnica para executar *asanas*. Para isso, nada é melhor do que um ambiente natural — a música de pássaros gorjeando ou o movimento das árvores. Você também pode ouvir música de natureza religiosa e, se apreciar, música clássica hindu; neste caso podem ser executadas *ragas*.

## Repetição

A Yoga não aceita a repetição de uma posição, e sim a manutenção em cada posição por tanto tempo quanto possível. Mas se você não puder se manter numa posição por muito tempo por falta de forças, poderá executá-la duas ou três vezes até adquirir forças para fazê-la durante um período de tempo mais longo.

## Respiração

A respiração correta é muito importante para a prática da Yoga. Uma simples regra a ser seguida é inalar, quando inclinar as costas para trás, e exalar, quando as inclinar para a frente. Sempre que mantiver uma postura, respire normalmente, exceto quando for indicada uma maneira diferente.

## Cadência

A cadência de mudança das posições da Yoga, exceto para a *surya namaskar*, deve ser muito lenta e realizada em etapas. A passagem de uma posição básica para outra, dentro da mesma *asana*, é por si mesma uma *asana*.

## Intervalo entre as refeições e a Yoga

Não se deve executar uma posição da Yoga difícil, ou que exija esforço, logo após o almoço ou o jantar. Recomenda-se um intervalo mínimo de uma hora após as refeições substanciosas e de meia hora após o café da manhã. É aconselhável praticar a Yoga com o estômago vazio para obter melhores resultados.

## Vestuário

A pessoa deve usar roupas que permitam total liberdade de movimento em todas as direções. Elas podem variar de colantes até muito folgadas, de acordo com a conveniência pessoal.

## Regularidade

Deve-se manter uma regularidade com as práticas da Yoga, uma vez que os músculos e as articulações levam muito tempo para ficarem flexíveis. Praticar durante quatro dias e omitir um dia significa voltar ao ponto de partida. Daí a importância da regularidade.

## Combinação de asanas

Para manter a posição correta, dois grupos de músculos chamados de antagonistas e agonistas agem em conjunto. Quando você vira a mão na direção dos cotovelos, o bíceps torna-se o agonista e o tríceps torna-se o antagonista. A pessoa deve saber que *asanas* devem ser realizadas por ambos os grupos de músculos. Se você assume uma posição inclinada para a frente, ela deve ser seguida por uma posição inclinada para trás. Para uma prática freqüente e completa de Yoga, você deve selecionar posições para cada parte do corpo. Elas incluem as posições sentada, em pé, plano supino (deitado de costas) e plano de bruços (deitado sobre o estômago).

## Ordem das práticas da Yoga

A ordem na qual as práticas da Yoga devem ser realizadas é a seguinte:

1. *Pranayama*
2. *Bandha*
3. *Mudra*
4. *Kriya*
5. *Asana*

*Pranayana* requer um padrão de respiração relaxada. Se alguém executar *pranayama* depois das *asanas*, o padrão da respiração torna-se mais rápido, o que não é bom para a *pranayama sadhana* (prática). *Bandhas* são seguidas por *pranayama* porque certas *bandhas* devem ser realizadas junto com *pranayama*. *Mudras* e *kriyas* elevam o Índice Metabólico Básico (IMB) do corpo, o que facilita a realização das *asanas*.

## Problemas de saúde

As pessoas com problemas de saúde específicos devem consultar o médico antes de realizar certas *asanas*. Por exemplo: se você for um paciente hipertenso, não deve realizar *sirshasana*.

# 4

# Pranayama

A maioria das pessoas obesas se preocupa com o peso. *Pranayama* ajuda a reduzir o seu nível de ansiedade e a aumentar a sua força de vontade. Para reduzir o peso, a pessoa necessita de uma extraordinária força de vontade. Na maioria dos programas para perder peso, as pessoas ou são incapazes de se disciplinarem para perder peso ou então perderam peso inicialmente mas foram incapazes de manter o programa. Praticar *pranayama* é uma maneira de começar a viver o momento, sem se preocupar com a quantidade de peso que você precisa perder; concentrando-se, em vez disso, na sua decisão de perder peso e nas medidas que deve tomar para atingir o seu objetivo.

*Prana* significa "respiração" e *ayam* significa "controle". *Pranayama* é uma técnica de controle da respiração. Respirar é uma atividade maravilhosa. Se ela cessa, nós morremos; e se nos tornarmos constantemente conscientes dela, alcançaremos a iluminação. Ela é elo de ligação entre o estado consciente e o estado superconsciente que pode levar uma pessoa à *moksha shareer* (o estado de completa liberdade). No seu livro, *Shiva Samhita*, o Senhor Shiva diz que se uma pessoa se tornar consciente de sua respiração, a mente fica sob controle e vice-versa. Para controlar a mente, a pessoa precisa controlar a respiração. Nenhuma outra religião ou ciência estudou a respiração tão profundamente quanto a Yoga. *Pranayama* é a arte da almejada percepção de todo o sistema respiratório. Ela é uma forma de meditação. No entanto, a percepção almejada não pode ocorrer sem que se esteja treinado em determinadas habilidades e técnicas. A Yoga delineou inúmeras variedades de *pranayama* que afetam diferentes aspectos do cérebro e do corpo. Algumas técnicas funcionam para diminuir a temperatura do corpo, enquanto outras a aumentam, alterando por meio disso todas as secreções endócrinas (hormonais).

Então, quais são os benefícios de *pranayama*? E por que a pessoa deve praticar as várias técnicas de *pranayama* durante quinze minutos todos os dias? O que ela consegue com isso? Para compreender isso, tudo o que precisamos fazer é estudar o nosso padrão de respiração em diferentes condições: o número de respirações por minuto quando estamos sentados — de doze a quinze; enquanto dormimos — de trinta a trinta e cinco; quando irritados — de quarenta e cinco a sessenta; e de duas a três quando relaxados. A filosofia da Yoga diz que a idade do ser humano está diretamente relacionada com o número de respirações que ele faz em sua existência. Quando uma pessoa pratica determinadas técnicas de *pranayama*, muda seu padrão de respiração para todo o dia. O número de respirações por minuto, em todas as situações ventiladas acima, começa lentamente a ficar cada vez menor com o passar do dia; a pessoa começa a se sentir mais tranqüila e relaxada. A unicidade entre seus corpos físico e mental é intensificada.

*Pranayama* consta de três etapas: *purak* (inspiração controlada), *rechak* (expiração controlada) e *kumbhak* (retenção).

*Kumbhak* é o aspecto mais importante de *pranayama* e, por sua vez, é subdividida em três etapas:

- *Antar kumbhak* — inspirar e prender a respiração.
- *Wahiyah kumbhak* — expirar e prender a respiração.
- *Kevala kumbhak* — sobreviver sem ar durante algum tempo. Uma habilidade que o homem consegue através da prática de *pranayama* é sobreviver mesmo quando todo o sistema respiratório pára de funcionar. Os *yogis* conseguem manter o nível de consciência quando seus batimentos cardíacos se reduzem ao mínimo.

## Como age a pranayama

A respiração tem dois efeitos sobre o nosso corpo — externo e interno.

Quando a pessoa inspira, o peito se eleva, a caixa torácica se dilata e os músculos intercostais se contraem. Quando a pessoa expira, o peito baixa e os músculos intercostais se distendem. Esse é o efeito externo da respiração. Quando a pessoa inspira, o ar penetra pelas narinas e passa através da traquéia para chegar aos pulmões, e os pequenos sacos alveolares dos pulmões se enchem como um balão. Cada saco alveolar é cercado por vasos sangüíneos que trocam o dióxido de carbono e o oxigênio com o ar dentro dele. Quando a pessoa inspira e prende a respiração, concede tempo suficiente para que a hemoglobina (Hb) presente no sangue combine com oxigênio para formar a oxiemoglobina, que enriquece e energiza todo o corpo ($Hb + O_2 = HbO_2$). Portanto, *pranayama* é a arte de revitalizar todo o organismo.

Qual será a proporção ideal de *purak kumbhak* e de *rechak*? Teoricamente, a proporção deve ser 1 : 4 : 2. Como principiante, você não deve prender a respiração por um período de quatro vezes o tempo que dura a inspiração. Você pode começar com um período de retenção de duas vezes o tempo gasto na inspiração. Depois de praticar durante mais ou menos um mês, poderá aumentar o tempo de retenção para três vezes o tempo de inspiração e, depois de uma prática de três meses, aumente-o para quatro vezes o tempo gasto na inspiração. Por exemplo: se uma pessoa conta de um a cinco enquanto inspira, deve prender a respiração até contar até dez, e tentar expirar entre a contagem de oito a dez, de acordo com a capacidade dos pulmões.

## Bhramri Pranayama

*Postura:*

Fique na posição de *padamasana* ou *vajrasana*.

*Técnica:*

- Feche os olhos e inspire profundamente enquanto conta de um a dez.
- Prenda a respiração e pressione o queixo para baixo sobre a depressão jugular (o ponto central dos dois ossos das clavículas abaixo do queixo).
- Levante o queixo até quatro dedos acima da depressão jugular e emita o zumbido de uma abelha vindo de sua garganta. Esse som deve se propagar para cima e se expandir por toda a cabeça.
- Repita todas as três etapas num padrão rítmico. Tente aumentar o tempo de inspiração para que você possa zumbir por um período mais longo sem ficar cansado. Não prenda a respiração em excesso; do contrário, seu processo respiratório seguinte não será igual ao anterior.

*Benefícios:*

- As vibrações provocadas pelo zumbido farão uma massagem no seu cérebro. Em conseqüência, todos os nervos e vasos contraídos ficarão dilatados — de vasoconstrição para vasodilatação. Alguns hormônios antiestresse são liberados durante o processo (pesquisa em andamento), o que provoca um estado de tranqüilidade.
- Todos os sentidos se harmonizam e ficam concentrados no percurso do zumbido. Isso leva a um aumento de concentração, de memória e das faculdades mentais superiores.
- As cordas vocais ficam relaxadas enquanto zumbem. Isso melhora a qualidade da voz.

*Advertências:*

- As pessoas portadoras de problemas graves na garganta devem evitar esta *pranayama*.

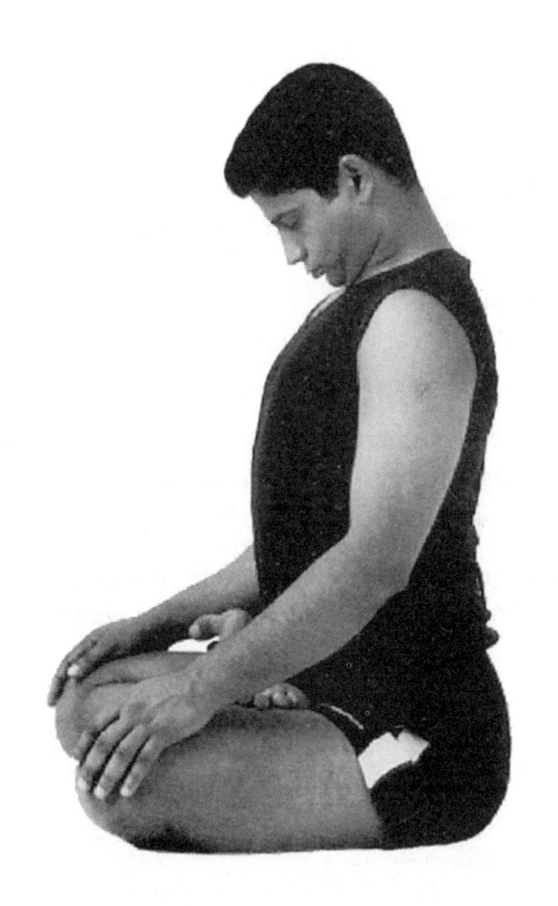

## Sahaja Pranayama

*Posição*:

Fique na posição de *padmasana*.

*Técnica:*

- Mantenha as costas eretas e feche os olhos.
- Concentre sua atenção na região do umbigo — o ponto de fogo no corpo.
- Inspire profundamente, pressione o queixo sobre a depressão jugular e prenda a respiração pelo tempo que for possível.
- Levante o queixo e expire pela boca.
- Repita as três etapas deste processo de uma maneira rítmica.

*Benefícios*:

- Prender a respiração e concentrar-se na região do umbigo aumenta a temperatura do corpo e queima calorias, ajudando assim a reduzir o peso.

*Advertências*:

- As pessoas com espondilose cervical não devem pressionar o queixo para baixo. Elas podem manter o queixo erguido enquanto pratica esta *pranayama*.

# 5
# Bandha

Bandhas são combinações neuromusculares que eliminam as obstruções no sistema glandular do corpo. A execução de *bandhas* coloca pressão sobre as glândulas endócrinas e as ativa. Isso aumenta a secreção de hormônios, visto que todas as glândulas são porosas por natureza. Assim, o nível hormonal modifica-se na corrente sangüínea, o que ajuda na redução do peso.

## Jalandhar Bandha

*Posição*:

Fique na posição de *padmasama* ou *vajrasana*.

*Técnica*:

- Inspire profundamente, encha os pulmões com ar, erga o peito e prenda a respiração.
- Baixe lentamente o queixo para a depressão jugular e pressione fortemente. Prenda a respiração pelo período de trinta segundos a um minuto.
- Levante o queixo e continue a prender a respiração. Quando a cabeça estiver de volta à posição anterior, expire pelas narinas.
- Repita esse processo três vezes.

*Benefícios*:

- Quando pressionamos o queixo para baixo, sobre a depressão jugular, as glândulas paratireóide e tireóide localizadas no pescoço são ativadas. Ocorre a secreção de tiroxina. Esse hormônio ajuda a reduzir o *stress*.
- Ajuda a controlar doenças da glândula tireóide.

*Advertências*:

- As pessoas que sofrem de espondilose cervical não devem executar *bandhas*, da mesma forma que a elas é proibido dobrar o pescoço para a frente.
- Esta *bandha* é indicada apenas para as pessoas cujos níveis de tiroxina são baixos. As pessoas com altos níveis de tiroxina não devem executar esta *bandha*.

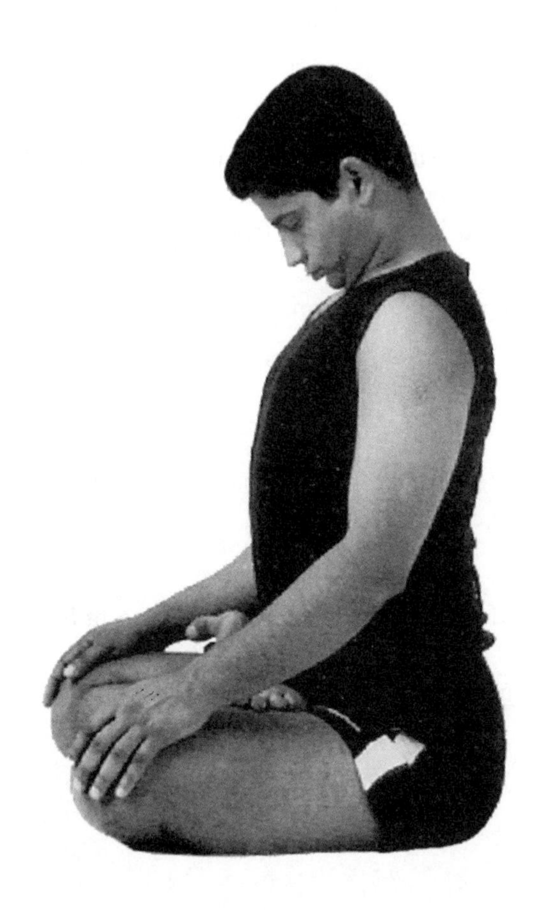

## Mool Bandha

*Posição*:

Fique na posição de *padmasana* ou *sahajasana*.

*Técnica*:

- Expire profundamente pela boca e prenda a respiração.
- Contraia a região anal (como faria se estivesse tentando impedir a passagem da urina). Todos os músculos do abdome baixo devem estar firmemente contraídos.
- Relaxe lentamente a região anal e alivie a tensão sobre os músculos abdominais. Para tanto, inspire lentamente e relaxe o corpo.
- Execute a *bandha* novamente, fazendo antes de tudo uma longa inspiração para levar a respiração de volta ao normal.
- Repita esse processo três vezes.

*Benefícios*:

- Melhora a secreção das glândulas situadas na região abdominal baixa do corpo. Isso aumenta a vitalidade e a capacidade sexual.

*Advertências*:

- As pessoas que sofrem de hemorróidas devem executar esta *bandha* sob a orientação de um especialista.
- As mulheres que sofrem de problemas ginecológicos devem consultar o médico antes de executar esta *bandha*.

## Udyaan Bandha

*Posição*:

Em pé, com o corpo ereto e os pés afastados, paralelos aos ombros.

*Técnica*:

- Abaixe o corpo e coloque as palmas das mãos acima dos joelhos, com os polegares voltados para fora. Expire profundamente pela boca, retenha a respiração (*wahiyah kumbhak*), contraindo o estômago pelo tempo que for possível.
- Volte a ficar em pé e expire.
- Repita o processo de duas a três vezes.

*Benefícios*:

- Pesquisas indicam que há uma mudança de pressão de -20 para -80mm de Hg no interior do abdome durante a execução da *udyaan bandha*. Isso provoca a liberação de sucos gástricos, o que auxilia o processo digestivo.

*Advertências*:

- As pessoas que sofrem de dores lombares na parte inferior do corpo devem executar esta *bandha* numa posição sentada ou em pé.
- As pessoas que sofrem de asma não devem reter a respiração por muito tempo.

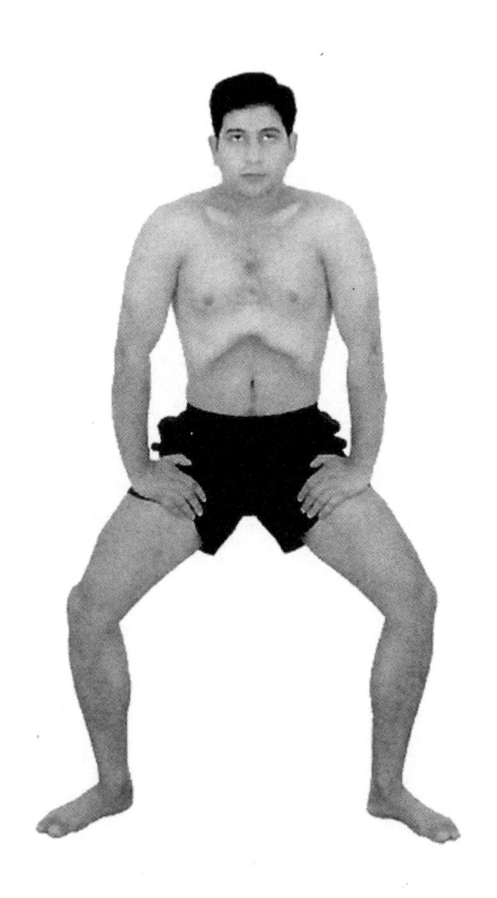

# 6

# Kriya

As *kriyas* da Yoga aumentam a quantidade de oxigênio consumido pelo organismo, o que afeta o funcionamento do coração e dos pulmões. Elas aceleram o bombeamento do sangue e torna a respiração mais profunda, enriquecendo assim o corpo com oxigênio. Isso, por sua vez, aumenta a IMB (Índice Metabólico Básico) e ajuda na redução de peso.

## Agnisar Kriya

*Posição*:

Em pé, com o corpo ereto e os pés afastados, paralelos aos ombros.

*Técnica*:

- Abaixe o corpo e coloque as palmas das mãos sobre os joelhos, com os polegares voltados para fora.
- Expire profundamente pela boca e retenha a respiração (*wahiyah kumbhak*).
- Retenha a respiração e movimente os músculos abdominais para dentro e para fora tantas vezes quantas forem possíveis.
- Repita isso dez vezes e pratique para aumentar essa repetição para entre cinqüenta e setenta ciclos cada vez.
- Levante-se e, então, inspire.
- Leve a velocidade de respiração de volta ao normal e relaxe.

*Benefícios*:

- Melhora o movimento peristáltico do estômago e ajuda a digestão.
- Ajuda a remover as fezes armazenadas no estômago e, conseqüentemente, a controlar a prisão de ventre.
- Fortalece os músculos abdominais e elimina a gordura da região do abdome.

*Advertências*:

- As pessoas que tenham sofrido de hérnia ou de qualquer cirurgia no estômago deverão consultar o médico antes de executar esta *kriya*.

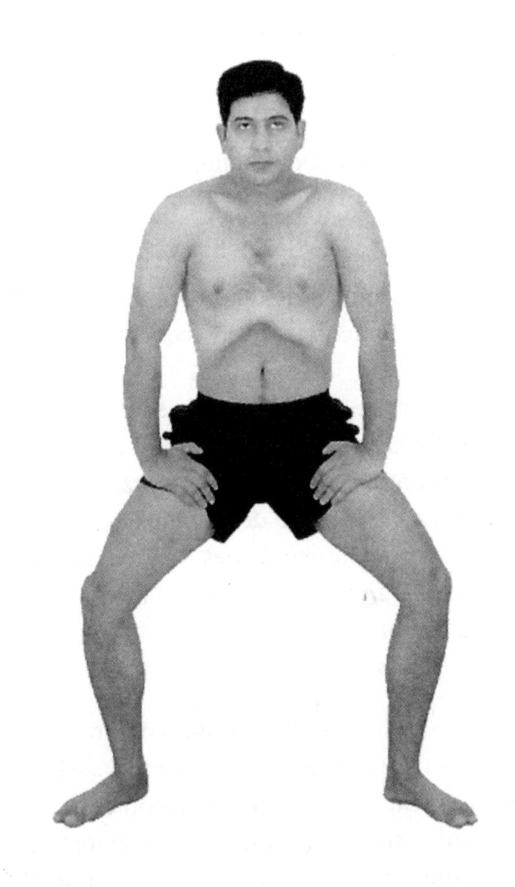

## Kapalbhati Kriya

*Kapalbhati* lida com as expirações ativas e as inspirações passivas. A expiração proporciona imensos benefícios físicos e espirituais, além de provocar relaxamento mental. Os gurus espirituais usam esta técnica para intensificar o crescimento espiritual, especialmente para ativar a *kundalini* (a força latente que existe no ser humano).

*Posição*:

Fique na posição de *vajrasana* ou *padmasana*.

*Técnica*:

- Coloque as palmas das mãos sobre os joelhos, conserve as costas perfeitamente eretas e mantenha o queixo a uma distância de quatro dedos da depressão jugular. Os olhos podem permanecer fechados. Mantenha a região cervical ereta, e tente sentir o *prana* fluindo através da espinha dorsal.
- Faça expirações vigorosas, profundas e rápidas, e inspirações lentas num padrão rítmico. Em cada expiração, o estômago deve ir de encontro à espinha dorsal ou, em outras palavras, o estômago deve se contrair. Entre cada duas expirações deverá ocorrer uma inspiração automática, o que leva o estômago de volta à sua posição original.
- Comece a praticar com cinqüenta expirações de uma vez; depois, aumente o total para cem. Em seguida, execute a *kriya* durante dois minutos ininterruptamente, e aumente a duração para dez minutos por dia.

*Benefícios*:

- Por causa do aumento do Índice Metabólico Básico durante a prática da *kapalbhati kriya*, ela torna-se um exercício cardiovascular, ajudando assim a perder peso. O efeito da *kapalbhati* sobre a resistência cardiovascular é fenomenal. As descobertas do meu estudo feito com estudantes universitários (durante dez semanas) mostram que uma execução regular da *kapalbhati*, durante quinze minutos por dia, melhorou a resistência cardiorrespiratória. Outros parâmetros como o padrão respiratório em repouso, o índice da pulsação, a capacidade de retenção da respiração, a capacidade vital (a quantidade de ar expelido dos pulmões depois de uma inspiração profunda) e a resistência cardiovascular

(a capacidade dos sistemas circulatório e respiratório de se ajustarem a um exercício vigoroso e de se recuperarem depois dele) foram também significativamente alterados, indicando um nível mais elevado de boas condições físicas.

- Ajuda a eliminar o excesso de gordura do corpo, ativando o movimento peristáltico no estômago. Por causa das expirações rítmicas rápidas, o estômago se movimenta para dentro e para fora, afetando todo o canal alimentar. Todos os tipos de toxinas e restos de fezes desnecessários nessa região são removidos.
- Altera o padrão de respiração errado das pessoas que respiram pela boca ou que roncam.
- Ajuda a curar sinusite, enxaqueca e hipertensão. As expirações vigorosas enriquecem o corpo, expulsando as toxinas e o ar desnecessário do organismo, aumentando a quantidade de oxigênio absorvido e, subseqüentemente, revitalizando o organismo.
- Ajuda a estimular os plexos interiores (grupos de nervos chamados de *chakras*) denominados *mooladhara*, e isso, por sua vez, ativa a *kundalini*.

*Advertências*:

- As pessoas que sofrem de pressão sangüínea alta, problemas ginecológicos, indisposições estomacais ou que tenham se submetido a alguma cirurgia recentemente não devem praticar esta *kriya* sem consultar o médico.

# 7

# Asana

Quando praticadas com diligência e atenção, as *asanas* são a chave da Yoga para perder peso. Mas isso exige rigor e persistência. Cada posição deve ser mantida por um longo período de tempo. Há duas maneiras para assegurar que isso seja feito:

- Aumentar gradativamente a duração de cada posição.
- Aumentar gradativamente a freqüência da execução da posição.

Inicialmente, o corpo exigirá tempo para se adaptar ao *stress* e à tensão provocados pelas *asanas*; por isso, inicie lentamente. Comece com vinte minutos por dia e aumente esse período para uma hora em três meses. Corpos diferentes reagem diferentemente à Yoga. É possível que, de início, você perca peso mas, depois, a despeito do aumento do esforço, os resultados talvez não sejam extraordinários. A pessoa precisa ser paciente. Com a persistente execução de *pranayama, bandhas, kriyas* e *asanas*, logo você obterá a forma ideal do seu corpo e olhares de admiração.

## Surya Namaskar

A técnica de revigoração solar é denominada *surya namaskar*. Antigamente, os *yogis* costumavam saudar o Senhor Surya ficando de frente para o Sol e realizando essa série de movimentos, que é uma combinação de dez *asanas*. Geralmente, ela é realizada como um aquecimento antes da execução de outras *asanas*. Ela é executada em forma cíclica com a recitação de doze *mantras* dedicados ao Senhor Surya. É aconselhável entoar esses *mantras* em cada *asana*.

*Técnica*:

- Fique em pé, com o corpo ereto e os pés juntos. Junte as palmas das mãos na frente do peito. Feche os olhos e respire normalmente. Então, entoe o *mantra*: "*Om mitraya namaha.*"
- Inspire e estire as mãos com as palmas juntas diretamente na frente do peito, deixando-as paralelas ao solo. Erga as mãos sobre a cabeça, aproximando os ombros de encontro às orelhas, e arqueie as costas para trás. Então, entoe o *mantra*: "*Om ravaye namaha.*"
- Expire e curve o corpo para a frente, até que seus dedos, palmas ou mãos toquem o solo ao lado dos seus pés. Tente tocar os joelhos com a testa e relaxe. Então, entoe o *mantra*: "*Om suryaya namaha.*"
- Inspire, estenda a perna direita para trás e coloque ambas as palmas das mãos no solo, nos lados de sua perna esquerda. Estenda o corpo para trás e arqueie-o o máximo possível. Evite tocar o joelho direito no solo. Então, entoe o *mantra*: "*Om bhanave namaha.*"

- Expire e leve a perna direita para trás, formando uma linha reta da cabeça à ponta dos pés. Apóie o peso do corpo na ponta dos pés e nas palmas das mãos. Então, entoe o *mantra*: *"Om khagaya namaha."*
- Retenha a respiração e apóie os joelhos no solo. Agora, dobre os cotovelos, pressionando o peito e a testa sobre o solo. Nessa posição, as pontas dos pés, os joelhos, o peito e a testa devem tocar o solo. Então, entoe o *mantra*: *"Om pushnaya namaha."*
- Inspire e alongue a parte superior do corpo para cima, desdobrando os cotovelos e arqueando as costas a fim de olhar para o alto. Então, entoe o *mantra*: *"Om hiranya garbhaya namaha."*
- Expire e eleve os quadris o mais alto possível, contraindo o queixo para dentro, em direção ao peito, enquanto olha para o umbigo. Os calcanhares devem permanecer juntos sobre o solo. Então, entoe o *mantra*: *"Om marichaya namaha."*
- Inspire e leve a perna esquerda para a frente. Arqueie as costas para trás. Então, entoe o *mantra*: *"Om adityaya namaha."*
- Expire e leve ambas as pernas para a frente, da mesma forma que na terceira posição, e toque as pontas dos pés. Então, entoe o *mantra*: *"Om savitre namaha."*
- Inspire e levante as mãos sobre a cabeça, curvando-se para trás, do mesmo modo que na segunda posição. Então, entoe o *mantra*: *"Om arkaya namaha."*
- Expire e volte à primeira posição. Então, entoe o *mantra*: *"Om bhaskaraya namaha."*

*Benefícios:*

- Sendo a *surya namaskar* uma combinação de doze posições, ela melhora a flexibilidade de todo o corpo. Quando realizada mais depressa do que na velocidade normal da Yoga, ela pode melhorar a resistência cardiorrespiratória, que é uma parte importante de uma rotina de bom estado físico.
- É uma idéia falsa a de que a Yoga não reduz o peso. Se uma pessoa praticar inicialmente dez ciclos da *surya namaskar* e aumentar gradualmente para cem ciclos, irá, com toda a certeza, perder peso.
- Desobstrui a *granthis* (a obstrução física do corpo) e faz com que o corpo pareça jovem, vibrante.
- Melhora o sistema auto-imunológico do corpo, desenvolvendo, assim, a resistência ao mau tempo. Isso torna-se evidente quando você vê *yogis* do Himalaia caminhando com o corpo desnudo pelas montanhas cobertas de gelo.
- Outro benefício é que isso harmoniza o plexo vital do nosso corpo do *mooladhar* (o plexo da base) ao *brahamarandra* (o plexo da coroa).

*Advertências:*

- As pessoas que sofrem de dores lombares fortes, ou de qualquer outro problema na coluna vertebral, devem consultar o médico antes de realizar esta *asana*.
- As pessoas que sofrem de dores fortes nos joelhos devem realizar estas *asanas* de modo muito lento e sob a orientação de uma pessoa experiente.

## Tadasana

*Posição*:

Em pé, com o corpo ereto.

*Técnica*:

- Afaste os pés cerca de trinta centímetros um do outro.
- Levante ambas as mãos acima da cabeça e mantenha as palmas juntas.
- Erga-se na ponta dos pés e alongue o corpo para o mais alto possível.
- Mantenha-se nessa posição pelo tempo de trinta segundos a um minuto. Fique respirando de maneira tão normal quanto possível durante todo o exercício.
- Traga as mãos de volta lentamente e expire. Coloque os calcanhares de volta ao solo e as mãos do lado das coxas.

*Benefícios*:

- Ajuda a eliminar a rijeza da coluna vertebral e a fadiga da parte superior do corpo.
- Fortalece os tornozelos, as articulações menores dos pés e os músculos das panturrilhas.

*Advertências*:

- As pessoas que sofrem de dores fortes no tornozelo podem ficar nessa posição com os tornozelos apoiados no solo.
- As pessoas que sofrem de ombros congelados devem evitar o alongamento dos braços.

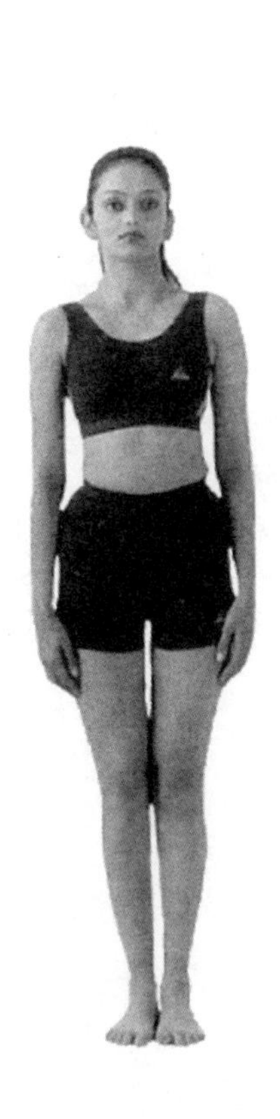

## Ardhachakrasana

*Posição:*

Fique em pé, com o corpo ereto.

*Técnica:*

- Levante a mão direita até o nível do ombro.
- Vire a palma para cima e estique a mão direita acima da cabeça, alongando o braço o máximo possível.
- Expire e curve o corpo para o lado esquerdo.
- Inspire e volte para a posição com o corpo ereto.
- Repita o mesmo processo do outro lado.

*Benefícios:*

- Elimina a gordura das laterais do corpo.
- Ajuda a livrar-se da rigidez das articulações dos quadris.
- Ajuda a curar a asma. Quando você curva o corpo para um lado, um pulmão se dilata enquanto o outro se comprime. A deslocação da carga dos dois pulmões para apenas um deles elimina a obstrução nos pulmões e melhora a capacidade funcional do sistema respiratório.

*Advertências:*

- Não se curve para a frente ou para trás nessa posição.
- Não retenha a respiração nessa posição.

## Veerasana

*Posição:*

Em pé, com o corpo ereto.

*Técnica:*

- Afaste os pés, coloque as mãos na cintura e olhe diretamente para a frente.
- Gire todo o corpo para a direita. Gire a ponta do pé direito na mesma direção.
- Inspire lentamente e dobre o joelho que está na frente quanto for possível, ao mesmo tempo que alonga o corpo para trás.
- Respire normalmente e levante os olhos na direção do céu.
- Repita o mesmo processo do outro lado.

*Benefícios:*

- Melhora a resistência das costas e da articulação dos joelhos.
- Elimina a indolência e a preguiça, enquanto o estiramento da região do umbigo rejuvenesce o corpo.
- Elimina erros de postura como a esclerose (costas arqueadas) e mantém as costas retas.

*Advertências:*

- As pessoas que sofrem de dores lombares devem realizar esta *asana* de maneira muito suave, e evitando um alongamento excessivo para trás.

## Natrajasana

*Posição*:

Em pé, com o corpo ereto.

*Técnica*:

- Afaste os pés lateralmente, até mais ou menos trinta centímetros da largura de seus ombros.
- Dobre os joelhos e mantenha as mãos sobre as coxas. Levante os calcanhares tanto quanto possível e apóie-se na ponta dos pés. Respire normalmente.
- Levante as mãos acima da cabeça e erga a tronco tão alto quanto possível. Pare.
- Volte à posição inicial e relaxe.

*Benefícios*:

- Elimina a gordura das coxas.
- Deixa os músculos das panturrilhas em forma.
- Fortalece os tornozelos.
- Elimina a rigidez das partes superiores do corpo.

*Advertências*:

- As pessoas que sofrem de artrite grave da articulação do joelho ou que tenham operado os joelhos devem consultar o médico antes de realizar esta *asana*.

## Bakasana

*Posição:*

Em pé, com o corpo ereto.

*Técnica:*

- Afaste os pés e deixe-os paralelos aos ombros.
- Dobre os joelhos tanto quanto possível e erga as mãos acima da cabeça.
- Expire lentamente, curve-se para baixo e apóie as palmas das mãos no solo. Concentre-se no espaço vazio entre as suas mãos.
- Erga-se lentamente.
- Repita esse ciclo.

*Benefícios:*

- Alonga os músculos do quadril, eliminando a flacidez excessiva.
- Fortalece a articulação dos joelhos.
- Alonga totalmente as costas.

*Advertências:*

- As pessoas que sofrem de dores fortes nos joelhos ou de problemas lombares devem evitar esta *asana*.

## Janusirasana

*Posição*:

Sentado, com as pernas estiradas.

*Técnica*:

- Dobre a perna direita e coloque-a de maneira a tocar com o pé a parte interna da coxa esquerda. O calcanhar deve tocar a região da virilha.
- Levante lentamente as mãos acima da cabeça. Respire normalmente.
- Expire lentamente e curve-se para a frente. Entrelace os dedos das mãos e segure o calcanhar.
- Curve-se totalmente para a frente e toque o solo com os cotovelos. Tente tocar as coxas com a testa, o peito e o abdome.
- Respire normalmente e mantenha-se nessa posição pelo período de trinta segundos a um minuto.
- Inspire lentamente, erga as mãos gradualmente para cima da cabeça e volte à posição sentada com as pernas esticadas.

Benefícios:

- Ajuda a eliminar a rigidez da coluna vertebral.
- Alonga as panturrilhas, os quadris, as coxas, os tornozelos, removendo a flacidez desnecessária de todas essas regiões.
- Pressiona o abdome, melhorando assim a digestão.

*Advertências*:

- As pessoas que sofrem de dores lombares devem evitar esta *asana*.

## Paschimottanasana

*Posição:*

Sentado, com as pernas estiradas.

*Técnica:*

- Levante as mãos acima da cabeça.
- Expire profundamente e curve o corpo.
- Segure a ponta dos pés ou os calcanhares e tente puxar o corpo para baixo. Tente tocar os joelhos com a testa.
- Mantenha-se nessa posição pelo período de trinta segundos a um minuto, enquanto respira normalmente.
- Inspire lentamente e erga as mãos acima da cabeça antes de voltar a ficar sentado com as pernas estiradas.

*Benefícios:*

- Ajuda a eliminar a rigidez da coluna vertebral.
- Alonga as panturrilhas, os quadris e os tornozelos, eliminando a flacidez de todas essas regiões.
- Pressiona o abdome, melhorando assim a digestão.

*Advertências:*

- As pessoas que sofrem de dores lombares devem evitar esta *asana*.

## ARDHAKAPOTASANA

*Posição:*

Sentado, com as pernas estiradas.

*Técnica:*

- Dobre a perna direita de modo a colocar o joelho na frente do corpo, levando a perna esquerda para trás.
- Coloque as palmas das mãos na frente e o calcanhar que está na frente longe da virilha.
- Inspire lentamente e deixe apenas as pontas dos dedos das mãos em contato com o solo. Então, alongue a parte superior do corpo para trás e olhe para o alto.
- Mantenha-se nessa posição pelo período de trinta segundos e um minuto.
- Traga a perna esquerda de volta para a frente e relaxe.
- Repita o mesmo ciclo do outro lado.

*Benefícios:*

- Alonga a parte externa das coxas, deixando-as em forma.
- Elimina o queixo duplo.
- Alonga o abdome, eliminando assim a gordura da região abdominal.
- Fortalece os músculos das costas.

*Advertências:*

- As pessoas com dores lombares e endurecimento nas articulações dos joelhos devem evitar esta *asana*.

## Tolungasana

Esta é uma *asana* avançada; por isso a pessoa deve praticar a versão básica antes de tentá-la.

*Posição*:

Fique na postura de *padmasana*.

*Técnica*:

- Coloque as mãos ao lado dos quadris e eleve-os junto com as pernas cruzadas acima do solo.
- Inspire e retenha a respiração.
- Mantenha-se nessa posição pelo período de trinta segundos a um minuto.
- Expire e baixe os quadris e as pernas cruzadas de volta ao solo lentamente.
- Descruze as pernas e volte a se sentar com as pernas estiradas.

*Benefícios*:

- Fortalece toda a parte superior do corpo, inclusive o tórax, os ombros, os antebraços e os pulsos.
- Melhora a resistência abdominal.
- Elimina a gordura das partes superiores do corpo.

*Advertências*:

- As pessoas que sofrem de ombro congelado, ombro deslocado ou que tiverem fraturado o cotovelo devem evitar esta *asana*.

## Vajrasana

*Posição*:

Sentado, com as pernas estiradas.

*Técnica*:

- Dobrando uma perna, coloque o pé sob o quadril do mesmo lado.
- Segure o outro pé com a mão do mesmo lado e coloque-o sob o outro quadril.
- Cuide para que os dedos dos pés não se toquem e que os calcanhares estejam virados para fora, fazendo um "V". Você poderá sentar-se sobre os calcanhares.
- Mantenha as costas eretas e coloque as palmas das mãos sobre os joelhos.
- Respire normalmente e mantenha-se nessa posição por, no máximo, dois minutos e, no mínimo, trinta segundos.
- As pessoas que sentirem dor nos tornozelos enquanto realizam esta *asana* devem colocar travesseiros embaixo dos quadris e dos tornozelos para que a dor diminua. Lentamente, depois de algum tempo, retire os travesseiros maiores, depois os mais baixos e estará na *vajrasana*.

*Benefícios*:

- Esta é a única *asana* que pode ser realizada logo após uma refeição, tendo em vista que ela acelera a digestão.
- Ajuda a aumentar a flexibilidade das articulações dos tornozelos.
- Ajuda a melhorar a postura.

*Advertências*:

- As pessoas que sofrem de artrite grave não devem experimentar esta *asana*.
- As pessoas que tenham feito alguma cirurgia no joelho ou na coluna vertebral devem evitar esta *asana*.

## SUPTAVAJRASANA

*Posição*:

Fique na posição de *vajrasana*.

Técnica:

- Acomode os quadris entre os calcanhares.
- Segurando os tornozelos, incline-se para trás e apóie os cotovelos no solo com o pescoço estirado para trás. Lentamente, endireite os cotovelos e deite-se no chão.
- Tente manter os joelhos juntos e coloque as mãos sobre as coxas.
- Mantenha-se nessa posição pelo período de trinta segundos a um minuto.
- Segurando os calcanhares, mova-se lentamente para cima, apoiando os cotovelos no solo. Pressione o solo com as palmas das mãos e, lentamente, volte a ficar sentado com as pernas estiradas.

*Benefícios*:

- Alonga as coxas.
- Fortalece as articulações dos joelhos e os músculos das costas.

*Advertências*:

- As pessoas que sofrem de dores no joelho devem evitar esta *asana*.

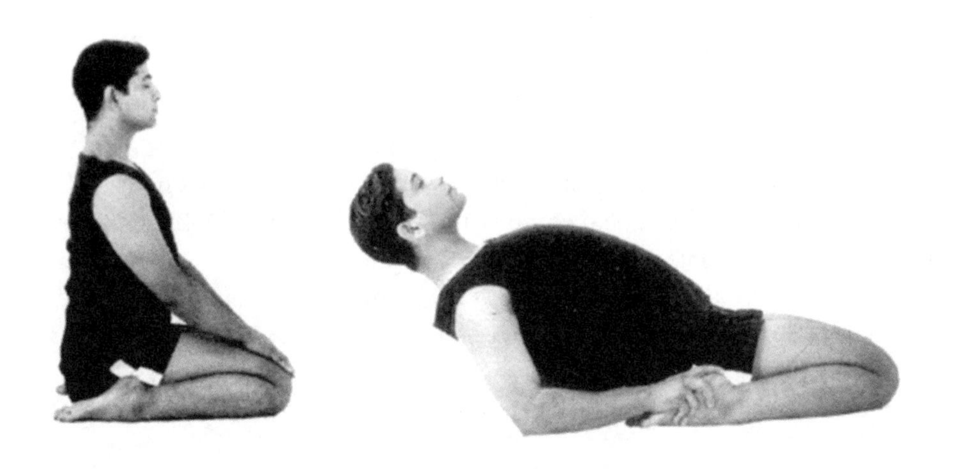

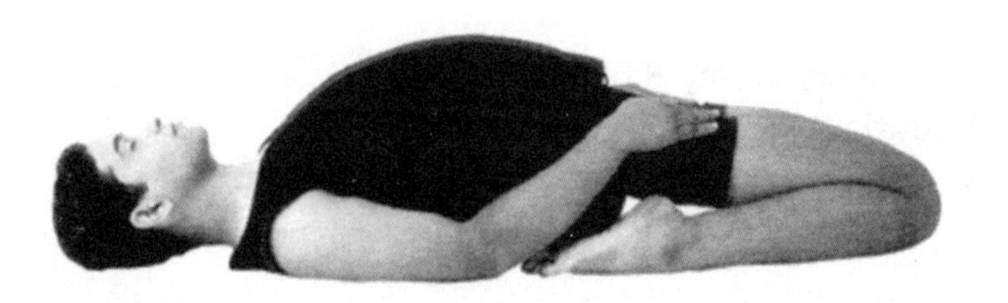

## Bhunamanutkatasana

*Posição:*

Sentado, com as pernas estiradas.

*Técnica:*

- Sente-se sobre os calcanhares.
- Coloque as palmas das mãos nas bochechas e apóie os cotovelos no chão.
- Afaste os joelhos e deixe que o corpo se incline para a frente. Dobre os cotovelos, mantenha as mãos nas bochechas e incline o rosto para o chão.
- Lentamente, estire as mãos e coloque-as acima da cabeça. Agora, apóie a testa no chão.
- Mantenha-se nessa posição pelo período de trinta segundos a um minuto e expire profundamente.
- Inspire profundamente e volte a ficar sentado com as pernas estiradas.

*Benefícios:*

- Ajuda a eliminar a gordura das nádegas e das coxas, e alonga totalmente as costas.
- Melhora o fluxo sangüíneo para a parte superior do corpo, eliminando as obstruções e a rigidez dessa região.
- Melhora a textura da pele da face.

*Advertências:*

- Esta é uma *asana* avançada; portanto, só as pessoas com altos níveis de flexibilidade devem experimentá-la.
- As pessoas que sofrem de dor forte nos joelhos devem evitar esta *asana*.

## Konasana

*Posição*:

Em pé, com o corpo ereto.

*Técnica*:

- Afaste as pernas o máximo possível.
- Expire e coloque as palmas das mãos no solo, curvando o corpo para a frente.
- Erga os quadris para cima da linha formada pelo corpo.
- Mantenha-se nessa posição e respire normalmente pelo período de trinta segundos a um minuto.
- Movendo os calcanhares e a ponta dos pés para dentro e para cima de ambos os lados, faça com que os calcanhares se juntem. Inspire e fique em pé.

*Benefícios*:

- Aumenta a força dos braços.
- Alonga a parte interna das coxas e ajuda a revigorá-las.
- Alonga o quadril, o tendão da perna e a panturrilha, além de eliminar a gordura dessas regiões.

*Advertências*:

- As pessoas que sofrem de dores lombares graves devem evitar esta *asana*.

## Ekpad Pavanmuktasana

*Posição:*

Deitado de costas, com as mãos ao lado das coxas.

*Técnica:*

- Entrelace os dedos, dobre o joelho direito e coloque as mãos entrelaçadas nessa perna. Expire lentamente, puxando o joelho na direção do peito.
- Alongue a parte superior do corpo e toque o queixo com o joelho.
- Permaneça nessa posição pelo período de trinta segundos a um minuto e respire normalmente.
- Relaxe a força das mãos sobre a perna, estire-a e volte para a posição deitada de costas.
- Repita o mesmo ciclo do outro lado.

*Benefícios:*

- Elimina as dores lombares ou a rigidez da região lombar.
- Alonga o tendão da perna e os quadris, eliminando o excesso de gordura dessas regiões.
- Melhora a flexibilidade das articulações dos quadris e dos joelhos.
- Elimina os gases desnecessários do organismo e, conseqüentemente, a flatulência.

*Advertências:*

- As pessoas que sofrem de espondilose cervical não devem erguer a parte superior do corpo para que o joelho toque o queixo; elas devem manter a cabeça apoiada no chão.

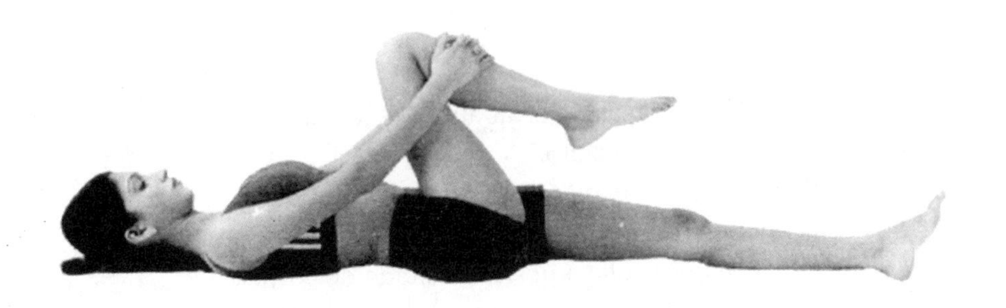

## Sampurna Pavanmuktasana

*Posição*:

Deitado, estirado no chão com as mãos no lado das coxas.

*Técnica*:

- Dobre ambos os joelhos.
- Entrelace os dedos e coloque as mãos abaixo dos joelhos.
- Puxe os joelhos em direção ao peito.
- Respire normalmente; então, expire lentamente e coloque o queixo em cima dos joelhos.
- Mantenha-se nessa posição pelo período de trinta segundos a um minuto.
- Solte lentamente as mãos e volte à posição deitada de costas.

*Benefícios*:

- Elimina as dores nas costas e a rigidez da região lombar.
- Alonga os tendões das pernas e os quadris, eliminando o excesso de gordura dessas regiões.
- Melhora a flexibilidade das articulações dos quadris e das articulações dos joelhos.
- Elimina o excesso de gases do organismo.

*Advertências:*

- As pessoas que sofrem de espondilose cervical não devem erguer a parte superior do corpo. Elas devem manter a cabeça apoiada no chão.

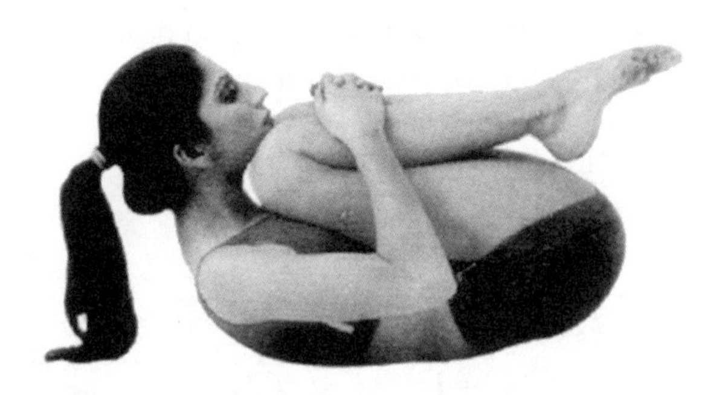

## Supta Ekpad Uttanasana

*Posição*:

Deitado de costas no chão, com as mãos no lado das coxas.

*Técnica*:

- Dobre o joelho e segure a ponta do pé direito com ambas as mãos, como mostra a foto.
- Levante a parte superior do corpo, expire e desdobre o joelho até que as pernas fiquem retas. Mantenha a perna esquerda estirada, forçando a ponta do pé para baixo.
- Mantenha-se nessa posição pelo período de trinta segundos a um minuto.
- Lentamente, solte as mãos e volte à posição deitada de costas.
- Repita o mesmo ciclo do outro lado.

*Benefícios*:

- Elimina a gordura dos quadris, das coxas e da região da panturrilha.
- Alonga a parte superior das costas, eliminando a rigidez dessa região.

*Advertências*:

- As pessoas que encontram dificuldade para dobrar o joelho devem desdobrar os joelhos lentamente; do contrário, isso pode provocar lesões no músculo.

## Santolanasana

*Posição:*

Deitado de bruços, com as mãos ao lado e o queixo voltado para o chão. Os dedos dos pés devem estar dobrados para dentro.

*Técnica:*

- Coloque as mãos ao lado do peito.
- Erga todo o corpo estirando os braços como se fosse fazer uma flexão.
- Mantendo o corpo reto, alongue-o totalmente e coloque todo o seu peso na parte superior do corpo.
- Fique nessa posição pelo período de trinta segundos a um minuto e respire normalmente.
- Apóie os joelhos no solo, relaxe as mãos e sente-se sobre os calcanhares.
- Estire as pernas e volte para a posição sentada.

*Benefícios:*

- Ajuda a revigorar os músculos e elimina o excesso de gordura dos braços e da região dos ombros.
- Fortalece e região do peito e dá a ela uma forma definida.
- Fortalece os músculos das laterais do corpo e dá ao seu tórax uma bela forma de V.

*Advertências:*

- As pessoas que sofrem de cotovelo de tenista e têm problemas no pulso e no cotovelo devem evitar esta *asana*.

# BHUNAMAN KAKASANA

*Posição*:

Deitado de bruços, o queixo tocando o chão e as mãos ao lado; os dedos dos pés devem estar dobrados para dentro.

*Técnica*:

- Traga as mãos para o lado do peito. Levante todo o corpo estirando os braços como se fosse fazer uma flexão.
- Apóie o joelho esquerdo no chão e erga a perna direita. Dobre os cotovelos e desça em direção ao solo sem tocá-lo.
- Mantenha-se nessa posição pelo período de trinta segundos a um minuto, respirando normalmente.
- Leve a perna para baixo e apóie o peito no solo. Então, deite-se de bruços e relaxe.
- Repita a mesma seqüência do outro lado.

*Benefícios*:

- Melhora a resistência das partes superiores do corpo.
- Aumenta a resistência dos pulsos e revigora os músculos dos braços, os bíceps e os tríceps.

*Advertências*:

- As pessoas que sofrem de cotovelo de tenista e têm problemas no pulso e no cotovelo devem evitar esta *asana*.

# Sahaj Vyagrasana

*Posição*:

Fique na posição do cão, na qual você se apóia nos joelhos e nas mãos, como mostra a foto ao lado.

*Técnica*:

- Olhe diretamente para a frente e alongue o pescoço para o alto.
- Estire uma das pernas e, então, inspire lentamente enquanto ergue essa perna o mais alto possível. Mantenha os dedos de ambos os pés estirados.
- Contraia os músculos dos quadris e mantenha-se nessa posição pelo período de trinta segundos a um minuto.
- Leve o joelho de volta ao chão e relaxe.
- Repita a mesma seqüência com a outra perna.

*Benefícios*:

- Revigora os músculos dos quadris, eliminando-lhes o excesso de gordura.
- Fortalece o pescoço e os músculos das costas.

*Advertências*:

- Esta *asana* não deve ser realizada sobre superfícies duras, uma vez que ela pode provocar lesões nas articulações dos joelhos.

## Purna Vyagrasana

*Posição*:

Fique na posição do cão.

*Técnica*:

- Olhe diretamente para a frente, levante uma das pernas deixando-a reta e paralela ao solo.
- Inspire e dobre o joelho da perna erguida. Então, erga o joelho tanto quanto possível. Contraia o tendão e os músculos da perna tão firmemente quanto possível.
- Mantenha-se nessa posição pelo período de trinta segundos a um minuto.
- Volte para a posição inicial.
- Repita a mesma seqüência com a outra perna.

*Benefícios*:

- Além dos benefícios da *sahaj vyagrasana*, esta *asana* também ajuda a melhorar os músculos traseiros das coxas e os músculos dos quadris.

*Advertências*:

- Esta *asana* não deve ser realizada sobre superfícies duras, uma vez que ela pode provocar lesões nas articulações dos joelhos.

## *Asanas para o abdome*

### SAHAJ UBHAY PADANG UTTHITASANA

*Posição*:

Sentado, com as pernas estiradas.

*Técnica*:

- Afaste as mãos dos quadris. Dobre os joelhos e coloque os calcanhares a trinta centímetros de distância dos quadris.
- Apóie os cotovelos no chão e estire as pernas para a frente, erguendo-as num ângulo de 45° acima do solo.
- Inspire e retenha a respiração nessa posição tanto quanto possível.
- Expire e deite-se de costas. Volte para a posição inicial sentado com as pernas estiradas.

*Benefícios*:

- Fortalece e elimina a gordura da cintura e da parte superior da região abdominal.

*Advertências*:

- As pessoas que sofrem de dores lombares devem erguer uma só perna em vez de ambas.
- As pessoas que sofrem de espondilose cervical devem manter o pescoço reto para evitar uma tensão excessiva.

## Sampurna Ubhay Padang Utthitasana

*Posição:*

Sentado, com as pernas estiradas.

*Técnica:*

- Coloque as mãos atrás dos quadris.
- Dobre os joelhos e coloque-os a trinta centímetros dos quadris. Olhe diretamente para a frente.
- Dobre os cotovelos e apóie-os no solo; levante ambas as pernas juntas a 90º do chão, mantendo os dedos dos pés estirados para cima.
- Inspire e mantenha-se nessa posição pelo tempo que puder reter a respiração.
- Expire lentamente. Relaxe e coloque as pernas no chão. Deite-se de costas.

*Benefícios:*

- Ajuda a eliminar gordura e também fortalece e revigora a região abdominal inferior.

*Advertências:*

- As pessoas que sofrem de dores lombares nas regiões superior e inferior devem manter os joelhos curvados para evitar tensão na região inferior das costas.

## NAUKASANA

*Posição*:

Deitado de costas, com as mãos sobre as coxas.

*Técnica*:

- Expire lentamente e eleve as partes superior e inferior do corpo juntas a fim de tomarem a forma de um barco.
- Mantenha-se nessa posição pelo tempo que puder reter a respiração.
- Leve as costas e pernas de volta para o chão. Então, inspire profundamente e relaxe.

*Benefícios*:

- Ajuda a fortalecer toda a região do abdome — da parte superior à parte inferior do mesmo.

*Advertências*:

- Mantenha o pescoço reto e não comprima o peito com o queixo.
- Certifique-se de expirar enquanto realiza esta *asana* — nesta posição.

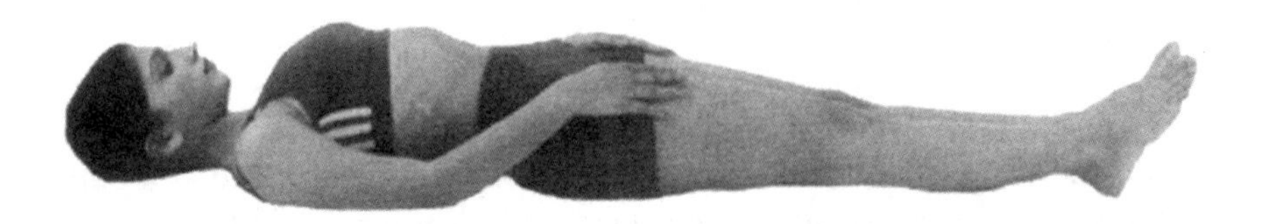

# Uttana Hasta Merudandasana

*Posição*:

Deitado de costas, com as mãos do lado das coxas.

*Técnica*:

- Dobre os joelhos e coloque os calcanhares a trinta centímetros de distância dos quadris.
- Expire e, então, erga lentamente a parte superior do corpo enquanto gira para um lado.
- Mantenha-se nessa posição pelo tempo que puder reter a respiração.
- Relaxe e volte para a posição sentado com as pernas estiradas.
- Repita do outro lado.

*Benefícios*:

- Fortalece os músculos das laterais do abdome.

*Advertências*:

- Mude de posição lentamente e evite movimentos súbitos.
- Esteja atento para o alongamento da coluna vertebral. Não force demais.

## Saral Hasta Bhujangasana

*Posição*:

Deitado de bruços, com o queixo tocando o solo e as mãos apoiadas com as palmas para baixo perto das coxas.

*Técnica*:

- Leve as palmas das mãos para perto dos ombros.
- Alongue a parte superior do corpo para cima, estirando os braços e arqueando as costas para olhar para o alto.
- Mantenha-se nessa posição por trinta segundos.

*Benefícios*:

- Ajuda a eliminar a rigidez da parte frontal do corpo, inclusive do tórax, dos ombros e do pescoço.
- Alonga os músculos abdominais e ajuda a eliminar a flacidez dessa região.
- Ajuda a resolver muitos problemas urogenitais de homens e problemas ginecológicos de mulheres.
- Elimina a dor da parte baixa das costas, alongando os músculos das mesmas.

*Advertências*:

- Esta *asana* deve ser realizada depois de completar o conjunto de *asanas* específicas para que os músculos abdominais se alonguem e não se tornem rígidos e doloridos.
- As pessoas que sofrem de hérnia ou hidrocele, ou que tenham se submetido a uma cirurgia abdominal devem evitar esta *asana*.
- As pessoas com fortes dores lombares ou lesões na coluna vertebral devem consultar o médico antes de tentar esta *asana*.

# 8

# Dieta

A dieta é um importante fator na redução do peso, uma vez que ela é que regula a ingestão de calorias. Mas antes de examinarmos o tipo de alimento que devemos comer, vamos nos informar a respeito de que os alimentos são realmente constituídos e do modo como os nutrientes desempenham diferentes papéis no funcionamento do corpo humano.

Os alimentos são constituídos de diversos nutrientes. Os macronutrientes, de modo geral, fornecem energia e são necessários em grandes quantidades; os micronutrientes são necessários em pequenas quantidades e não constituem fonte de energia.

## Macronutrientes

Os macronutrientes são os nutrientes básicos dos quais o corpo necessita.

### *Proteínas*

As proteínas são compostas de aminoácidos que, de certa forma, são as unidades básicas estruturais das fibras musculares, dos órgãos, da pele, dos ossos e dos tendões. Elas ajudam a criar, renovar e manter as fibras musculares. No entanto, no que diz respeito ao consumo de alimentos ricos em proteínas, é importante saber que nem todas as proteínas são úteis para o corpo. Ovos, carne e peixe contêm proteínas que são completas, mas alimentos como leite, queijo, arroz, soja, batata, trigo e feijão têm porcentagens de proteínas incompletas. Os vegetarianos precisam combinar alimentos para fornecerem proteínas completas para o corpo. Cereais e leite, pão integral e queijo, arroz e feijão, arroz e lentilhas, pão integral e feijão são combinações que fornecem ao corpo uma dieta completa, rica em proteínas.

## *Carboidratos*

Os carboidratos são compostos por moléculas simples ou complexas de açúcar e amido. Eles fornecem o combustível ou a energia de que o corpo necessita e são a forma mais simples de alimentos que o organismo pode transformar em energia. As categorias básicas de carboidratos são:

*Monossacarídeos*

Glicose (açúcar encontrado no sangue)
Frutose (açúcar encontrado nas frutas)
Galactose (um tipo de açúcar encontrado no leite)

*Oligossacarídeos*

Sacarose (açúcar de mesa)
Lactose (açúcar encontrado no leite)
Maltose (açúcar encontrado no malte)

*Polissacarídeos*

Polissacarídeos vegetais
Polissacarídeos animais (glicogênio)

À medida que os carboidratos são mais complexos, torna-se mais difícil para o corpo decompô-los. Os carboidratos simples como a frutose são rapidamente convertidos em energia, enquanto que os carboidratos complexos (alimentos que contêm amido como arroz e batata) liberam energia lentamente durante um certo tempo. Muitas dietas para perder peso reduzem drasticamente quase todos os carboidratos, tornando a pessoa fraca e anêmica. Uma boa dieta deve eliminar os carboidratos "nocivos", como trigo beneficiado (tortas, pão de forma, "maida") e açúcares. Produtos de trigo integral podem ser consumidos com moderação. Até alimentos que contêm amidos, como arroz e as batatas, podem ser comidos em menor proporção, mas não combinados com gordura (manteiga ou azeite), o que pode ocasionar aumento de peso.

## *Gorduras*

As gorduras são nutrientes que contêm a mais elevada concentração de calorias. Elas conservam o calor do corpo, cobrem e protegem os principais órgãos e constituem a maior fonte de energia armazenada no orgamismo. Quanto mais exercícios a pessoa fizer, mais e mais gordura será queimada à medida que ela passar mais tempo fazendo exercícios. Os últimos dez minutos de exercício irão queimar mais gordura do que os dez minutos iniciais. As moléculas da gordura são saturadas, insaturadas ou poliinsaturadas. Carne, aves, ovos, laticínios e chocolate contêm grandes quantidades de gordura saturada. A gordura insaturada é encontrada no azeite de oliva, no óleo de amendoim, no abacate e nas castanhas de caju. As gorduras poliinsaturadas são encontradas em alimentos como nozes, óleo de girassol, peixe e óleo de cártamo. As gorduras são inimigas das pessoas obesas e devem ser consumidas em quantidades muito pequenas. A pessoa deve procurar comer mais gorduras insaturadas ou poliinsaturadas, porque quanto mais saturada é a gordura, mais provavelmente ela permanecerá no corpo, adicionando peso a ele e obstruindo as artérias.

## *Água*

A água também é considerada um nutriente básico, tanto que é exigida pelo corpo em grandes quantidades. Obviamente, ela não é uma fonte de energia, mas precisa ser consumida regularmente para que todo o organismo literalmente se mantenha "limpo". A água é o veículo líquido através do qual as substâncias químicas podem ser transportadas e as reações entre os diversos nutrientes podem ocorrer.

## Micronutrientes

Outros nutrientes que o corpo utiliza em quantidades muito pequenas são chamados de micronutrientes. Eles incluem:

### *Vitaminas*

Vitaminas são substâncias orgânicas que agem como catalisadores para importantes reações que ocorrem no corpo. Elas não adicionam peso nem fornecem energia para o corpo. As vitaminas podem ser divididas em duas categorias: solúveis nos líquidos do corpo e solúveis na gordura. As vitaminas solúveis nos líquidos são armazenadas no corpo e as quantidades excedentes são eliminadas através da urina; as vitaminas solúveis na gordura são armazenadas nos tecidos gordurosos do corpo.

*Vitaminas solúveis nos líquidos*

- B1 (tiamina)
- B2 (riboflavina)
- B3 (niacina, ácido nicotínico, nicotiamida)
- B5 (ácido pantotênico)
- B6 (piridoxina)
- B12 (cianocobalamina)

*Biotina*

- Folato (ácido fólico, folacina)
- Vitamina C (ácido ascórbico)
- Vitamina A (retinol)

*Vitaminas solúveis na gordura*

- Vitamina A
- Vitamina D
- Vitamina E
- Vitamina K

Todas as vitaminas desempenham um papel vital no funcionamento regular do organismo. Tendo em vista que as vitaminas solúveis na gordura podem ficar armazenadas no organismo, elas devem ser consumidas com menos freqüência. As vitaminas solúveis nos líquidos do organismo precisam ser tomadas diariamente. Certifique-se de que você ingere bastante alimentos que contenham todas essas vitaminas. Vegetais de folhas verdes, nozes, leite, cereais integrais, feijão, frutas secas, sementes de girassol, melões e frutas cítricas são todas boas fontes de vitaminas.

### *Minerais*

Os minerais são substâncias inorgânicas necessárias para as principais funções do organismo. Há trinta e dois elementos metálicos no organismo e eles constituem quatro por cento do peso do corpo; além de desempenharem um papel em muitos processos metabólicos, eles ajudam na síntese do glicogênio, das proteínas e das gorduras. Os principais minerais exigidos pelo organismo são: cálcio, fósforo, magnésio, potássio, sódio, enxofre e cloro. Esses minerais são encontrados em vegetais e na carne, e o corpo necessita de quantidades muito pequenas deles. Contanto que a pessoa faça uma dieta balanceada, pode contar com minerais suficientes.

## Teor de energia dos alimentos

Cada reação que ocorre no corpo humano requer energia. A quantidade de energia contida numa determinada porção de alimentos é medida em calorias. Uma caloria é, na verdade, atribuída à quantidade de calor desprendido no processo de oxidação que ocorre no interior de cada célula. O fogo, por exemplo, é um tipo de oxidação rápida, na qual o calor é desprendido. Do mesmo modo, um processo mais lento ocorre no interior de cada célula.

Todos os macronutrientes — proteínas, carboidratos e gordura — são fontes de energia e, por conseguinte, contêm calorias. No entanto, 1 grama de proteína contém 4 calorias, enquanto 1 grama de gordura contém 9 calorias. As pessoas que desejam perder peso deverão minimizar o consumo de gordura. Comer grandes quantidades de carboidratos corresponde à ingestão de igual quantidade de calorias que não é utilizada e será, finalmente, de qualquer modo, armazenada no corpo como gordura.

## Yoga e dieta

Os *yogis* classificam os alimentos em três grupos — *satvic, tamasic* e *rajasic*. Nos alimentos *satvic* estão incluídos cereais integrais, vegetais frescos, frutas, leite, coalhada, nozes, legumes, brotos e ervas. Os alimentos *tamasic* abrangem todos os alimentos congelados e fritos, cereais beneficiados ou refinados, bebidas alcoólicas, carne e fungos, como os cogumelos que crescem em matérias deterioradas. Os alimentos *rasajic* compreendem os doces, cafeína, as cebolas, o alho e condimentos. A Yoga recomenda uma dieta basicamente *satvic,* que é rica em cereais, vegetais fibrosos e frutas, e tem baixo teor de gordura. Os alimentos *tamasic* devem ser totalmente evitados e os alimentos *rajasic* podem ser consumidos de vez em quando. Todos os tipos de carnes, inclusive peixe, devem ser evitados. A pessoa pode consumir pão integral, em vez de pão de farinha de trigo, que é de difícil digestão. Comida vegetariana também é aconselhável, uma vez que tem muitas vitaminas e minerais que fortalecem e revigoram o corpo. Evite todos os alimentos enlatados, processados e refinados. De acordo com os *yogis,* a água é um nutriente muito importante. A pessoa deve consumir pelo menos quinze copos de água por dia para eliminar as toxinas do organismo pela urina. A água também reduz os níveis de acidez dos alimentos e evita que a comida seja totalmente transformada em calorias.

Quero lembrar a todos, principalmente para os que estão tentando perder peso, que o mais importante é manter uma dieta balanceada, sem se privar dos alimentos que mais apreciam. A privação só irá levar a comer em excesso mais tarde. Em vez disso, desfrute todos os tipos de alimentos, mas lembre-se de comê-los na quantidade certa, combinando-os corretamente. Amidos, quando ingeridos com alimentos gordurosos ou proteínas, formam uma combinação devastadora. O amido eleva o nível de insulina que é o hormônio que regula a gordura em seu corpo. Se você comer alimentos gordurosos e amido ao mesmo tempo, a gordura será armazenada imediatamente nas suas células adiposas. Evite combinações como pão e manteiga, batatas fritas e cozidas, que engordam muito. Os amidos ingeridos junto com proteínas também irão resultar no armazenamento de gordura no corpo. As proteínas intensificam ainda mais o efeito que os amidos têm sobre a insulina. Portanto, combinações como massa de farinha de trigo e queijo (pizza), ovos e pão, batatas e carne, hambúrgueres (carne e pão) são as piores combinações, uma vez que combinam proteína/gordura com amido. Mesmo as comidas vegetarianas ricas em proteínas, como leite, queijo, amendoim e soja, geralmente contêm gordura, embora numa percentagem menor. Procure comer alimentos que contenham amido sem misturá-los com vegetais, e coma proteínas e alimentos gordurosos acompanhados de vegetais para evitar o desnecessário armazenamento de gordura. Quando fizer um lanche, procure comer frutas, grão-de-bico torrado (*chana*), brotos de feijão ou torradas de pão integral. Se quiser perder peso, elimine totalmente o açúcar e as gorduras saturadas da sua dieta. Em lugar do açúcar, use um pouco de mel como adoçante. Quando comer vegetais, procure aferventá-los em vapor em vez de fritá-los ou cozinhá-los, uma vez que isso ajuda a preservar seus nutrientes. Evite óleo vegetal e use óleo de semente de girassol ou de oliva, porque são mais ricos em gorduras insaturadas e poliinsaturadas.

As pessoas que vivem na costa do Mediterrâneo têm uma das dietas mais saudáveis do mundo. Elas têm o índice mais baixo de obesidade e, conseqüentemente, menos casos de hipertensão e de doenças cardíacas. Uma refeição saudável balanceada tornou-se parte do modo de vida das pessoas que ali vivem. Tipicamente, as pessoas mediterrâneas (que vivem no sul da Itália, França e Espanha, Marrocos e Líbia) usam muito azeite de oliva em sua culinária, comem muitos cereais (principalmente pão), grãos de leguminosas, legumes, nozes, vegetais, frutas e, em menor proporção, queijos, leite, ovos e um pouco de vinho tinto em cada refeição. Elas nunca comem pão com manteiga e doces, e a maioria das iguarias que contêm carne são comidas em raras ocasiões, o que não ocorre na Índia. Se você gosta de uma bebida de vez em quando, beba vinho tinto, uma vez que ele contém uma quantidade mais baixa de calorias e foi demonstrado que, em certos casos, ajuda o processo digestivo.

A comida deve ser apreciada, mas não de modo exagerado. Se você comer todos os tipos de alimentos com moderação, ao mesmo tempo que pratica Yoga, não há nenhuma razão para ganhar peso.

Mas se você quiser perder peso efetiva e rapidamente, sugiro dois tipos de dieta: o primeiro é uma dieta de baixas calorias, por meio da qual você reduz o peso rapidamente; e o segundo é uma dieta balanceada que você pode substituir quando quiser manter o seu peso.

## *Dieta de baixas calorias*

8:00 h — Comece o dia com algumas frutas (exceto bananas) e um pouco de chá ou café com leite (mas sem açúcar).

12:00 h — Coma uma grande salada de legumes contendo grão-de-bico (*chana*) ou brotos.

13:00 h — Tome uma sopa, vegetais cozidos no vapor e um pouco de queijo *cottage* ou uma xícara de lentilhas.

16:00 h — Coma dois biscoitos de trigo integral e um pouco de chá ou café sem leite ou açúcar.

20:00 h — Coma uma salada, com muitas verduras e dois *chapattis* (ou duas fatias de pão integral).

## *Dieta balanceada*

8:00 h — Comece o dia com algumas frutas (exceto bananas) e uma tigela de cereais e leite com baixo teor de gordura (desnatado). Você pode tomar chá ou café com leite, mas sem açúcar.

12:00 h — Coma uma grande porção de salada de legumes acompanhada de queijo *cottage* (*paneer*), grão-de-bico (*chana*) ou brotos.

14:00 h — Tome uma sopa, coma vegetais cozidos no vapor e dois *chapattis.*

17:00 h — Coma dois biscoitos de trigo integral e um pouco de chá ou café com leite, mas sem açúcar.

20:00 h — Termine o dia com salada, bastante legumes (cozidos no vapor ou ligeiramente fritos em azeite de oliva) e dois *chapattis* (ou duas fatias de pão integral).

A pessoa pode seguir a primeira dieta durante 10 dias, depois dos quais pode mudar para a dieta balanceada. Siga essa dieta durante cerca de 20 dias, uma vez que ela proporciona ao seu organismo um período de repouso, depois do qual você pode retomar a dieta de baixas calorias. Dessa maneira, o seu organismo tem algum tempo para se ajustar ao seu novo peso e você não sente o desejo de comer demais e recuperar o peso que perdeu. Depois de ter atingido o seu peso ideal, prossiga com a dieta balanceada e faça com que ela se torne parte da sua vida. Sinta-se à vontade para adaptá-la ao seu paladar, tendo em mente as normas básicas de uma alimentação saudável mostradas neste capítulo.

Perder peso não é impossível, não importa com que excesso de peso você esteja. É uma simples questão de tomar por si mesmo uma decisão interior e, então, mudar seus hábitos, introduzindo a Yoga e uma alimentação saudável na sua vida diária. Uma vez que você comece a praticar Yoga, será virtualmente impossível que você ganhe peso novamente.